KB075711

그녀는 때때로

카이로스의 시간을 여행한다

그녀는 때때로 카이로스의 시간을 여행한다

발 행 | 2024년 07월 09일
저 자 | 유효경
펴낸이 | 한건희
펴낸곳 | 주식회사 부크크
출판사등록 | 2014.07.15.(제2014-16호)
주 소 | 서울특별시 금천구 가산디지털1로 119 SK트윈타워 A동 305호
전 화 | 1670-8316
이메일 | info@bookk.co.kr

ISBN | 979-11-410-9395-2

www.bookk.co.kr

그녀는 때때로 카이로스의 시간을 여행한다

유효경 지음

목 차

4. 감정으로 향기 낸 70

5. 치유로 우려 낸 90

첫머리에

무엇이든 읽어야 한다고 생각했습니다. 읽고 나니 내가 읽은 것이 맞는지 확인이 필요했지요. 그래서 필요한 것이 바로 말하는 것이었습니다. 뜻이 맞는 사람들과 함께 '독서토론'을 시작한 이유였습니다. 그 후 말하고 난 것을 조각조각 적다 보니 이제 적어야 하는 이유가 필요해졌습니다. 읽고, 말하고, '쓰다' 에서 '쓰다'가 맨 마지막이 된 이유는 두려움 때문이었습니다. 내 글을 누군가 읽는 것이 무서웠고, 맞춤법과 띄어쓰기 등이 나를 괴롭게 했습니다. 그러나 결론은 그럼에도 '쓰자'로 났습니다. 그래서 결심했습니다. 2024년 적어서 살아남아보자. 무엇이든 쓰면 읽었을 때처럼 또 다른 길이 생길 것이라는 '묻지 마' 믿음이 오늘 여기로 이끌었습니다.

몇 년 전 지인들과 100일 글쓰기를 한 적이 있습니다. '쓰는 하루'라는 무엇이든 쓰는 것이었지요. 100일이 한참 지난 후 100편의 글을 완성했을 때 부끄러움보다 뿌듯함이 들었습니다. 나도 해냈다. 그리고는 물을 찔끔찔끔 주듯 글을 쓰다가 이번에는 주제를 가지고 쓰고 싶다는 생각이 들었습니다. 무엇을 할까 고민을 하다가 시 한 편에 담긴 글을 써보면 어떨까 하는 생각이 들었습니다. 그래서 '시와 에세이의 만남'이라는 이름으로 도전해 봅니다.

1. 자연으로 피어 난

눈; 雪
비; 悲歌
태양; 輝
나무; 樹
꽃; 開
돌; 我
물; Coffee
흙; 生
달; 光

눈;雪

하루도 못 되어 한 살을 더 먹는
섣달그믐 그 밤에 함박눈이 내린다
살포시 무서리인 듯 새침을 떼고 있다

어느 날은 하루를 지나도 여전한데
어떤 날은 하루를 지나면 새 날이다
한 살을 걷어버리니 내 모습이 보인다

엄마처럼 안 살 거야 큰 소리 쳐봐도
눈가에 이마에 낙인처럼 찍혔는데
애쓰며 덮어 내리는 섣달그믐 그 밤의 눈

<詩作노트>

12월 31일에 본 눈은 아직 녹지도 않고 그대로 새해를 맞이한다. 어제이지만 어제는 아닌 무슨 철학적 사고를 하는 듯 가장자리도 아닌 길 한가운데 떡 하니 자리 잡고 있는 눈을 본다.

올해 또 한 살 먹는 내가 이제 나이 먹는 것은 그냥 그러려니 할 때도 되었건만 거울 속에 비친 내 모습은 내 어머니를 닮아가고 있다. 노안으로 양 미간을 찌푸려 생긴 주름도, 웃음으로 생긴 입가의 주름도, 아무리 목을 쭉쭉 늘려 봐도 점점 진해지는 목주름까지도 말이다.

어느 날은 목소리도 비슷하다는 것을 알게 된다. 어머니보다 더 나은 사람이 되어야지 하면서 아닌 듯 시치미 떼고 있어 봐도 삐죽 나온 머리카락의 그림자도 닮았다.

눈으로는 덮을 수밖에 없다고 생각했다. 때론 따스하고 보기에는 평온하지만 자신의 결정체가 녹아내리면 이내 숨겨진 것들이 드러난다. 아마도 나는 그 드러나는 모든 것들을 감추고 싶었던 것 같다. 한 해에 한 가지씩 어머니와 닮아가는 것들이 드러나는 것을 보면 이제 '아니, 달라'하는 부정보다는 '그래, 맞아'하고 인정하고 수정하는 것으로 바꿔야겠다.

비;悲歌

죽은 이가 못 본지 오래 된 이들을
현재로 불러들여 얼굴을 마주하고
마지막 인사를 나누며 안부를 묻는다

오래된 안부를 묻게 되는 미안함에
곡소리 한 판을 애처로이 부른다
고맙네,
구성진 노래 한판
잘 듣고 떠나겠네

떠나는 이
남는 이
그들을 위하여
빗소리가 불러주는
메기고 받는 소리
세상에 구슬프게 펼쳐지는
비의 만가(輓歌)

<詩作노트>

비는 다양한 모양을 가지고 있다. 바라보는 자의 마음에 따라 비는 응답한다. 비가 오기 전까지 하늘은 구름으로 내적 표상과 사고를 통하여 환경을 상징적으로 조작하는 아동처럼 전 조작기를 갖는다. 반짝이는 해님을 가리는 것으로 가끔 비춰주기도 하고, 완전히 가려 잿빛으로 만들기도 한다. 심란한 사춘기를 겪으면 우르릉 쾅쾅 소리를 지르기도 하고 그리고 마침내
울분을 토해내기도 또는 기쁨을 포효하기도 한다. 비가 내는 소리는 오케스트라처럼 연주되기도 하고, 아무도 모르게 살짝 내기도 하며 아주 엉뚱하게 소리를 내다 뚝 그치기도 한다, 더러운 것을 덮어버리는 눈 보다 거리를 깨끗하게 하는 비가 그래도 좋아지는 것은 점점 나이를 먹어가면서다. 50대를 맞이하면서 결혼식이나 돌잔치보다는 장례식장에 초대되는 날들이 많아진다. 이럴 때 비는 구성진 한 판을 들려준다. 떠나는 이와 남은 이들을 위한 그들의 노래를 들어보면 파노라마처럼 그들과의 만남이 펼쳐진다.

태양;輝

어느 날
예고 없이 찾아 온 그녀는
해맑은 웃음을
맑은 눈의 반짝임을
선물로 가지고 와서 우리 곁에 앉았다

한 발짝 걷기는 유난히 느리지만
여러 번 웃는 것은 너무나 쉬웠던
그래서
주위에 늘 빛을 내던
나의 그녀
나의 태양

열네 살을 맞이하는
이 겨울 아침에
더 넓은 세상 향해 한 걸음 내딛고

빛나라,
너의 이름으로
비춰라,
한결같이

<詩作노트>

내 나이 42살에 출산이라 무조건 건강하고, 손가락 10개, 발가락 10개만 있게 해달라고 그렇게 바랬다. 두 언니들은 입덧이 심해 임신 5개월까지 제대로 먹지도 못했는데 이번엔 그렇게 사골국만 먹었다. 더운 여름 사골 국을 끓여주며 그래도 먹을 수 있는 것이 있어서 다행이라는 어머님 덕분에 무사히 입덧을 넘겼다. 그러고는 끝없이 찾게 되는 낙지볶음으로 남편과 어머니는 이젠 못 먹겠다고 포기 선언을 했을 정도다. 2.8kg으로 건강하게 태어난 여자아이가 바로 막내 녀석이다.
잠투정도 없고, 땀을 뻘뻘 흘리며 빨아도 젖이 나오지 않아도 울지도 않았던 아이다. 그런 녀석이 돌이 지나도 걷지를 않아 애태웠다. 15개월에 걷는 아이도 있으니 걱정 말라는 의사선생님 말에도 왜 그렇게 안절부절못하던지. 아이가 아프기라도 하면 '엄마가 너무 늦게 낳아서 미안해'를 속삭이며 그렇게 밤을 새우기도 했다. 그렇게 온 가족의 기쁨인 막내는 오늘 초등학교를 졸업했다. 담임선생님과 헤어지는 게 너무 아쉬운지 선생님의 마지막 인사말에 울기 시작하더니 선생님께 다가가 꼬옥 안아준다. 타인이게도 늘 햇살 같은 아이, 이제 중학교라는 또 다른 세상을 향해 걸음을 내 딛는다. 첫걸음은 늦었지만 바로 뛰어다닌 걸 보면 더 큰 걸음으로 밝게 비추며 뛰어다니겠지.

나무;樹

소행성의 어린왕자 슬픔으로 울었네
소중한 나의 별 피폐해진 나의 별
바오밥 너의 모습이 이렇게 미울 줄

소행성의 바오밥 슬픔으로 울었네
작은 별에 큰 뿌리 지쳐가는 나의 별
제에발 어린왕자여 오해를 풀어다오

누구든 부탁해요 나를 좀 어디든지
울부짖은 목소리 우주로 흩어져
응답한 신의 한 마디 지구별 그곳으로

어린왕자 오해 풀러 신들이 움직였다
아프리카 남동쪽 별들이 내려앉은
뜨거운 마다가스카르에 솟구친 뿌리들

<詩作노트>

어린 왕자는 자신의 소행성을 마구 파괴시키는 바오밥나무를 좋아하지 않았다. 어떻게 하든 소중한 것들을 파헤쳐 대는 그 무시무시한 생명력을 필요로 하지 않았다. 하지만 바오밥나무의 입장에서 보면 그 주체할 수 없는 힘을 쓰는 것은 고의적이지 않다. 바오밥나무가 움직일 수 있었다면 아마도 한걸음에 지구나 다른 행성으로 갔을 것이다. 움직이지 못하는 나무이기에 그것이 그에게는 한계였으리라. 서로를 필요하지 않는 이상 그 존재만으로 가치 없고 쓸모없고 피해를 주는 것이 되어버리는 안타까운 관계이다

아프리카 남동부에 위치한 마다가스카르에는 바오밥나무 군락지인 '바오밥 애비뉴'가 있다. 늠름하고 멋지게 하늘을 향해 두 팔을 뻗는 모습이 경이롭다. 그 크고 굵은 줄기를 뻗기 위해 땅속 깊숙이 내린 뿌리는 얼마나 넓게 펼쳐졌을지 상상해 본다.

신의 실수로 만들어진 나무라는 바오밥나무. 그러나 신의 한 수가 아니었을까. 돌고 돌아 자신의 길을 선택하고 힘들게 가야 하는 길이 뻔히 보이지만 용감하게 그 길을 가려는 큰 딸을 응원한다.

꽃;開

겨울을 이겨내고 피어나는 꽃들은
봄날의 햇살이 올 것을 믿는다
언 땅의 시린 고통에도 가슴 펴고 기다린다

꽃들이 가슴 펴는 봄날이 찾아오면
단단히 감싸던 손들을 풀어내어
마침내 봄의 언덕에서 꽃으로 피어난다

<詩作노트>

사람이 자기가 하고 싶은 것 얻고 싶은 것을 다 얻으며 사는 사람이 어디 그리 많은가
수많은 실패를 겪으며 성장한다지만 스물다섯이 된 둘째는 자신의 첫 실패를 초등학교 6학년 때로 잡는다. 아마도 그때 준비라는 것을 해야 한다는 걸 알게 되었을 것이다. 사립 중학교라는 첫 시험대를 통과하지 못했을 때에 그 후로도 합격보다는 불합격을 더 많이 만난다는 사실을 몰랐을 것이다. 중학교 1학년을 마치고 홈스쿨링을 선택했을 때도 우리도 딸도 앞으로의 시간이 어떻게 변할지 몰랐다. 그저 이렇게 하면 되겠지 하는 막연한 생각들이 있었을 뿐이었다. 둘째는 검정고시를 빠르게 통과해 고등학교 졸업장을 2학년 때 받았다. 그 후로 대학을 준비하면서 더욱더 힘든 고난이 시작되었다. 곁에서 보는 엄마의 마음도 고난이었다고 해야 할까. 그 힘든 날들을 보내고 이제는 마음껏 즐기고 있으니 다행이다.

돌;我

모양도 제각각
앉은 모습도 제각각
울퉁불퉁 눈길가지 않아도
언제나 그 자리

이리 뒤척 저리 뒤척
움직일 때가 되었다
어디로 가볼까

쿵
데구르르르

마음먹으면 그렇게 움직이는 것을
세상에 한 발 내밀면
울퉁불퉁 내 모습도
반질반질 손 타겠지

그래도
돌멩이는 돌멩이
부셔져 모래가 되어도
돌멩이는 돌멩이

<詩作노트>

있는 곳이 어디이든 돌멩이는 그 자체로 돌멩이다. 바람에 깎이고 쓸리고 이리저리 굴러다녀 조각조각 나 있어도 그 성질은 변하지 않는다. 바닷가의 수많은 모래조각이 되기까지 모진 시련을 견뎌냈으리라. 모양이 바뀌어도 그 쓰임에는 변함이 없을 텐데..... 자꾸 작아지는 자신의 모습을 보면 이제는 모래알이 된 것 같다.

시간이 지나면서 변화하는 돌멩이는 단단하고 야무져야 한다는 선입견에 못내 힘들다. 자꾸만 작아지는 자신의 모습이 이젠 싫어진다. 바람에 물에 뾰족했던 것들은 두루뭉술해지고 반질반질해진다. '나는 원래 그러지 않아'를 외치며 변화하는 자신의 모습이 견딜 수 없다. 꼬장꼬장하고 날카로웠던 것은 바람에 의해 다듬어지는 것이라 생각하자. 이제 물의 흐름 속에 내 몸을 맡겨 아름다운 손에 꼭 쥐어지는 돌멩이가 되어 보자. 모습이 변해도 받아들이자. 그래도 나는 나! 돌멩이는 돌멩이다.

물;Coffee

내가 움직이는 발소리에
햇살이
더위가
낙엽이
눈이
카페에 마중을 나옵니다

두 손을 곱게 모아
빗방울을
새의 소리를
그리고
찰나의 여유로움을 담습니다

허영심을 뿌려 먹는 하루의 시작

<詩作노트>

언제부터인지 커피 한 잔이 꼭 필요했다. 아마도 그때는 달달한 믹스커피를 마셨다. 학원을 운영하면서 가르치는 일이 언제나 행복하고 즐거운 일은 아니었다. 때로는 어떤 방법으로 설명을 해도 이해하지 못하는 아이로 인해 화가 났다가도 그 아이를 어떻게 하면 이해시킬까 밤새 수업 준비를 한 적도 있었다. 달달함과 씁쓸함을 모두 알려주는 것이 커피 한 잔이 아니었을까.

시간이 지나고 커피는 이제 옷 가게에 걸려있는 다양한 옷들처럼 변화무쌍해졌다. 골라 먹는 재미는 아이스크림만 있는 게 아니었다. '바다소금커피' '카페라테' '카푸치노' '아메리카노'를 거쳐 요즘은 '바닐라라테'에 빠져있다. 당의 섭취를 원천적으로 봉쇄해야 하지만 이 한 잔마저 없으면 어찌 지낼까 생각한다. 집에서 원두를 내려 마실 수 있음에도 마실 나가는 시골 할머님마냥 커피 한 잔을 만나러 아침에 나선다. 봄에는 차가운 바람 사이로 쭈뼛쭈뼛 햇빛 한 줌을 맞으며 가고, 한 여름엔 더위가 몰려오기 전에 후다닥 간다. 가을에는 한 잎 두 잎 떨어지는 낙엽을 보는 덤을, 겨울에는 투덜대면서도 눈 위를 뽀드득 뽀드득 밟으며 사러 간다. 아마도 나는 커피를 마시러 가는 것이 아니라 나만의 찰나의 여유를 마시러 가는가 보다.

흙;生

그녀는 가난의 살 한 점에서 태어나
비릿하게 굽은 삶의 무게를 업었다

비에 흔들리며, 바람에 젖으며
보이지 않는 지구 힘에
지쳐가던 그녀는
땅의 이야기를 들었다

이제 내려놓아도 된다는

얼기설기 얽혔던 고운 그녀 얼굴이
척박한 겨울의 언 땅을 쓸어내고
다음 생에선
굽은 등 편 채로
흙속에서 기쁨으로 태어나
환한 미소로 세상을 덮게 하소서

<詩作노트>

작년 여름 투병 중이셨던 이모가 뿌리내렸던 자신의 땅을 떠나셨다. 이미 가족들과 친척들은 언제 떠나도 떠날 사람이라는 준비를 하고 있어서였는지 장례식장은 차분했다. 어릴 때 천연두에 걸려 얼굴에 그 흔적을 고스란히 가지고 살아야 했던 이모는 결혼하겠다는 사람이 없었다고 한다. 가난한 사람과 없이 시작한 삶은 병원에 입원하는 그 순간까지 시장에서 생선을 파셨다.

돌아가시기 2년 전에 둘째 아들이 심장마비로 갑자기 세상을 떠났다. 자식을 먼저 보내는 부모의 마음을 어찌 헤아릴 수 있을까. 이모는 남편과 아버지를 잃은 며느리와 손자가 슬픔을 다하도록 말없이 지켜보셨다. 이보다 더한 아픔은 없을 거라고 하셨지만 내색하지 않으셨다. 자신도 남편을 먼저 보내고 아이들을 키웠기 때문에 어떤 말로도 그 무게를 감당할 수 없었기 때문이었으리라.

이모는 이 생에서의 삶을 너무 짊어진 탓에 등이 굽어 걸어 다니셨다. 구부러진 채 마른 생선처럼. 이모가 이제 허리 쭉 펴고 환한 얼굴로 다시 태어나시길 바라본다.

달;光

갑자기 찾아온
깜깜한 마을에는

별 인양 반짝이는
휴대폰의 불빛들이

아파트 창문 밖으로
쏜살같이 내 달린다

밤하늘,
둥근달을 쪼개어 뿌려대니

초승달의 쌜쭉 내민
입 꼬리만 남았다

어둠이 나쁘지 않은
무채색의 밤이다

<詩作노트>

아파트에 이사 온 지 얼마 되지 않아 갑자기 정전(停電)이 되었다. 근처 상가를 짓기 위해 터파기를 하던 순간 지반이 약해져 무너져 내렸기 때문이다. 낮보다 환하던 아파트의 불빛들이 한순간에 사라져 어둠에 묻히니 화려한 건물들은 검은 형체로 남아 을씨년스러웠다. 그때 창문마다 쪼개진 불빛들이 쏟아져 나왔다. 존재가 미비한 것들이 모여 발하니 꼬마전구를 켠 듯하다.

예전엔 정전이 되면 양초에 불을 켰는데 이제는 휴대폰의 빛들이 그 자리를 차지한다. 빛이 사라진 자리에 이지러진 달이 떴다. 한 겹의 창문으로 바라보는 달은 뿌옇게 흐렸다. 창문을 열어 달을 보니 온전한 동그라미 그 모습이었다. 어찌 된 일일까 다시 창문을 닫고 보니 또 이지러진다. 아~ 창문이 더러운 것이었구나! 더러워진 것을 통해 보면 일그러진 형태로 보이는 것이 많다. 달은 원래 그 모습 그대로인데 더러워진 창문을 통해 보니 달도, 어둠도 무섭고 불투명한 것이다. 창문을 닦고 달을 보니 둥근 달의 달빛이 환하다. 불꺼진 놀이터의 미끄럼틀, 그네 등이 어둠 속에서 서서히 모습을 드러낸다. 조명등 같은 달빛이 어둠을 비춘다.

2. 사물로 녹여 낸

시계; 시간도둑
거울; 나
지우개; 지우개똥
책; 재고정리
컴퓨터; 21세기 피카소
손톱; 네일아트
신발; 아버지의 맨발
창문; 여우의 창(窓)
식탁; 늦은 저녁
책상; 백야(白夜)

시간도둑
-시계

아까운 줄 모르고 질질 흘리고
뭉텅뭉텅 잘라서 버리고
낮과 밤을 서로 바꾸고
바쁘다 바빠! 입만 바쁘고

크로노스가 간직한 보물들
하루, 24시간, 일 년, 365일
야금야금 낭비하며 살고 있지

또 있지!
있다가 해야지
이거 먼저 하고 해야지
오늘 일을 내일로 미루며
핑계를 만들지

초단위로 바뀌는
디지털 숫자를 볼 때마다
잃어버린 것들을 생각이나 할런지.

<詩作노트>

시간과 관련된 수업을 진행한 적이 있다. '모모' '트리갭의 샘물' '시간을 파는 상점' '시간을 건너는 집' '세계를 건너 너에게 갈게' 등 시간과 관계된 책들을 읽으면서 우리는 카이로스의 시간과 크로노스의 시간을 알게 되었다. 시간이 흘러가는 속도는 나이에 비례한다고 한다. 근거까지는 모르겠으나 수궁이 가는 걸 보면 나이를 먹고 있는 점은 확실하다.

어릴 때는 시간이 아까운 줄 몰랐다. 그냥 오늘이 지나면 내일은 당연히 오는 것이고, 오늘 할 일을 내일로 미루고, 아침에 일찍 일어나는 새가 먹이를 잡든지 말든지 해가 중천에 떠야 하루를 시작할 때도 있었다. 모두에게 똑같이 주어진 시간을 어떻게 쓰는가에 따라 인생이 달라진다는 말은 참 명언이다. 그것을 빨리 알았으면 해서인지 아이들에게도 잔소리를 하게 된다. 스스로 알게 될 때까지 기다려주기엔 나의 시간이 너무 빨리 흐른다. 나의 부모님이 그런 잔소리를 하셨고, 이제는 내가 하고 있는 걸 보니 이 깨달음은 계속 되풀이되는 시간에 갇혀 있는 것 같다. 이 틀을 깨고 나오는 녀석이 있다면 그래! 넌 너의 삶을 잘 가꾸어 갈 거다.

나
-거울

그대 온다하기에
한껏 차려입고
거울 앞에
선

그녀는
누구인지

낯설기만 합니다

<詩作노트>

어느 날 거울 앞에 서있는 내가 낯설어 보입니다. 보름달만큼 밝고 뽀얗고 탱탱한 피부를 가졌던 그 아이는 사라지고, 세월을 알 수 있는 주름과 지구의 중력을 증명하는 얼굴을 가진 사람이 서 있습니다. 나이가 든다는 것을 서글프거나 억울한 것은 하나도 없었습니다. 단지 그때 했어야 했는데 미뤄둔 것들이 후회스럽긴 합니다. 젊을 때 피부과도 좀 다니고, 예쁜 옷도 많이 사 입고, 좋은 곳도 많이 다닐걸. 인생을 충분히 즐기고 결혼도 할 걸 -결혼한 것을 후회하는 거 아닙니다- 그래서인지 우리 딸들은 많이 웃고, 많이 즐기고, 자신을 위해 투자하기를 바랍니다.

그랬더니 오늘도 피부과로 출동하고, 올리브 영을 자기 집 드나들 듯이 다닙니다. 세상에서 가장 바쁜 것이 카드랍니다. 거울 앞에서 요리조리 얼굴을 다듬고 있는 녀석들을 보니 '나도 아직 늦지 않았지'를 속으로 외치면서 거울 앞에 섭니다. 건강을 위해서라는 미명 아래 예쁜 몸매도 만들어보고, 주근깨, 기미, 점도 좀 빼고, 보톡스 티 나지 않게 한 방, 두 방 맞고, 새치염색대신 멋 내기 염색도 좀 하면서 10년 후 거울 앞의 그녀가 낯설지 않도록 노력 좀 해봐야겠습니다.

지우개똥

-지우개

쓱싹쓱싹
틀렸다! 엄마한테 들키기 전에
깨끗이 지워보자
오, 말끔해진 문제들

쓱싹쓱싹
잘못 쓴 글자다! 친구가 보기 전에
깨끗이 지워보자
오, 깔끔해진 공책들

쓰으윽 미운 말
싸아악 서운한 말
쓰으싹 쓱싹 가시 돋친 말
벅벅벅벅벅
휴,
한 군데로 모아서
동글동글 말아서
슛! 골인!
한 번에 치워버렸지

<詩作노트>

수학 문제를 풀 때는 연필을 사용한다. 샤프보다 사각사각 소리 나는 그 느낌이 좋다. 거기에 많이 풀수록 글자가 진해지면 나름 만족도가 높다. 수동으로 돌리면서 깎는 연필깎이 느낌도 좋다. 무엇인가를 해내고 있다는 뿌듯함도 가지게 되고 말이다.

수학 문제를 풀 때 좋은 점은 집중이 잘 된다는 것이다. 문제를 잘 푸는 것과는 다른 의미다. 몰입도가 좋다는 것이다. 어려운 문제를 풀고 틀리면 또 지우듯 우리가 살아가면서 저지른 행동들 중에는 지우고 싶은 것들이 있다.

특히 '말'은 뱉어지는 순간 돌이킬 수 없는 것이어서 언제나 조심스럽다. 하지만 순간의 감정을 조절하지 못하고 '욱'하고 나가버리면 형체도 없이 상대를 찌르거나 나도 상처받게 된다. 말로 받은 상처는 쉽게 낫지 않는다. 사라진 것이 아니라 깊숙이 숨어버린 것이다. 그래서 지워지는 것이 쉽지 않다. 더 힘줘서 더 빡빡, 그리고 정성스럽게 다뤄야 한다. 이 글을 쓰면서 그동안 타인에게 상처를 주던 말들이 생각난다.

아~ 여러분 용서해 주세요. 제가 지금 지우러 갈게요.

재고정리

-책

새로 신참이 들어왔다
따끈따끈 한 것이
고거, 참 산뜻 하구먼

한쪽 자리를 내어주며
사람의 손길 기다리다 지친
아주 오래 된 신참이 기지개를 켠다

누군가에게 읽혀지지 않고
예쁘게 진열만 된
그래서
자신의 정체성을 잃고 있는
아주 오래 된 신참은
새로 온 신참을 보며
커피 향기 생각이 가득하다

침 묻혀 지고 찢기는 아픔을
겪어보지 못해
라떼를 말할 수도 없을 만큼
한쪽 진열장만 차지하고 있었기에
더욱 더 생각만 가득하다

<詩作노트>

'새로 배우는 것 금지'
'더 이상 책 사는 거 금지'

배우고 싶은 거 많고, 사고 싶은 거 많은 내게 내려진 남편의 금지령이다. 끊임없이 배우려는 욕심은 채워지지 않는 나의 허전함인 것 같다. 나이가 들어갈수록 드러내놓고 나를 표현하기는 어렵다. 나이는 숫자라는 말이 있지만 그냥 말뿐이다. 나를 드러내지 않으면 아무도 모른다. 당연한 일임에도 그냥 자연스럽게 나를 알아주길 바란다.

새로운 것들은 나날이 늘어가고 그것을 따라가자니 가랑이가 찢어질지도 모르고 주책이라는 단어를 뒤집어쓸 수도 있다. 나는 새로운 것들에 계속 밀리고 있는 세월을 가꾸어 가는 사람이다.

21세기 피카소
-컴퓨터

AI도
처음엔
자꾸만 실수한다

갸름한 얼굴과 주름제거
클릭 한번 해야 하는데
잡티 꺼냈다가
길게 늘렸다가

드디어
뽀샤시도 입히고
눈도 크게 만들고
쌍거풀도
머리카락도
채워 넣는다
이중턱도 갸름하게
옆모습까지
완벽하다

현실감 없는 세상에
고객은 만족 100%

<詩作노트>

예전엔 포토샵으로 얼굴을 수정하여 실물보다 훨씬 예쁘게 나온 사진을 보며 흐뭇했던 적이 많았다. 시대가 발전하여 지금은 AI 시대. 인공지능의 발달로 쏟아지는 정보의 홍수 뿐 만 아니라 이제 창작의 세계까지 야금야금 다가오고 있다. 빛의 속도로 변화하는 지금 세상에서는 내 얼굴 사진 10장만 있으면 세상 다른 사람이 나오기도 한다. 물론 분위기는 비슷하다^^

AI로 사진을 무료로 만들어 준다는 링크를 받은 적이 있다. 그런데 준비가 꽤 까다롭다. 안경을 찍은 사진 안 되고, 옆모습도 안 되고, 이것도 저것도 안 된다 하니 에잇! 안 해! 하고 덮어버리고 말았다. 옆에서 지켜보던 둘째가 3000원만 주면 30장의 색다른 자신의 사진을 가질 수 있다며 엄마를 위해 투자하겠다고 했다. 시간이 조금 지난 후 30장의 사진을 받았다.
와~감탄사가 연달아 나온다. 내가 꿈꾸던 나의 모습이다. 가는 팔부터 잡티 하나 없는 얼굴에 갸름한 얼굴 거기에 머리카락 길이까지 캬~~아! 완벽하다. 완벽해! 자꾸 쳐다보고 있으니 그 사진에 나온 사람이 진짜 나인 것 같고, 기분이 좋아진다. 둘째가 옆에서 한마디 한다. "우울할 때마다 보면서 기분 전환해 봐"
그래, 그래~ 그런데 거울을 봐야지 사진만 보고 어찌 사누~~ 세상 참 좋은 세상이다! 현실감 없는 세상~

네일아트
-손톱

바짝 자른 무채색의 내 손톱 심심해.

열 일하는 젖은 손에
알록달록 어울릴까 궁금해.

어떤 모습일까 지금부터 시작해.

길게 기른 알록달록 내 손톱 신선해.

이 모습 그대로 열 일할까 걱정돼.

상상해
멋지게 해내는 완벽한 일들을.

<詩作노트>

귀걸이, 반지, 화장 등 몸에 걸치고 바르는 것을 귀찮아한다. 20대에도 그랬을까? 되돌아보면 전혀 아니다. 아마도 집안일을 해야 하면서 걸리적거리는 것들이 불편하게 느껴지기 때문이다. 결혼반지도 결혼하고 딱 한 달을 꼈던 것 같다. 설거지할 때마다 뺐다 꼈다 하는 것이 번거로워 아예 끼지 않았던 것 같다.

큰 딸은 네일아트에 진심이다. 요즘은 붙이는 네일아트가 잘 나왔다면서 일주일에 한 번씩 바꾼다. 손톱 말리는 기계도 사고, 계절마다, 분위기 바꾸고 싶을 때마다 형형색색으로 교체해 준다. 엄마도 하라면서 예쁜 색을 골라 붙였는데 하루도 못 가서 답답해서 떼고 말았다. 게으른 것들이 네일아트 한다고 생각했던 때가 있다. 그 손톱 무너질까 봐 설거지도 안 하고 청소도 안 한다고 말이다. 그런데 큰 애를 보면 전혀 아니다. 설거지는 물론이고 음식도 잘한다. 역시 예뻐지려면 부지런해야 한다는 것이 더 정설인 듯하다.

페디큐어라도 하라는 딸의 성화에 슬며시 발을 내민다. 열심히 붙여주는 딸의 성의를 봐서 네일아트보다는 조금 오래갈 것 같다. 그럼에도 음~답답해..... ^^

아버지의 밴빌
-신발

아버지
그 먼 길 가시면서
어찌하여
옷 한 벌 만 가지고 떠나려 하십니까
차디찬
당신의 발이
두 눈에 시립니다

새로 신발을
사 드려도 이제는
신을 수 없음에
서러움을 토해내며
두 발을 안습니다

아버지
시린 발은 이곳에 놓고서
새처럼 가벼이 훠얼훨 떠나세요

당신의
신발 한 켤레
가슴에 묻습니다

<詩作노트>

올 3월은 딸 셋이 모두 1학년이 되는 해다. 막내는 중학교 1학년이 되고, 둘째는 다시 대학교 1학년이 되고, 첫째는 대학원생이 된다. 새 옷과 새 신발을 줄줄이 사면서 집 앞은 택배로 문전성시다. 새로 산 옷을 입고 예쁜 신발을 신으며 새 학기를 기다리는 아이들의 모습에서 살아계셨으면 좋았을 아버지를 떠올린다.

아버지는 내가 21살이 되던 해에 심장마비로 돌아가셨다. 그때 여동생은 중학교 1학년, 남동생은 고등학교 2학년이었다. 갑작스러운 아버지의 죽음 앞에 우리는 모두 어쩔 줄을 몰랐다. 전날까지도 홍시를 사 오셔서 맛있게 먹으며 이야기를 나누었는데 아침에 출근하자마자 쓰러지셔서 병원으로 실려 갔다는 비보를 듣게 되었다. 내가 병원에 도착했을 때 아버지의 몸은 따뜻했다. 그때 알았다 사람이 죽으면 갑자기 차가워지지 않는다는 사실을. 따뜻한 아버지의 몸을 만지니 돌아가셨다는 사실이 믿기지 않아 나도 모르게 담요를 조심스럽게 아래로 내렸다.

한동안 주인 잃은 신발은 신발장 안에 덩그러니 놓여 있었다. 신발도 못 신고 떠난 아버지의 발이 끝내 마음 시림으로 남는다.

여우의 창(窓)
-창문

왼손은 ㄴ자를
오른손은 ㄱ자를 만들어 찰칵찰칵
여기 보세요. 뭉게 구름씨

후우욱
심술 맞은 바람 녀석
구름을 밀어내며
재빨리 창안으로 들어온다

에헤이
그렇다면 이번엔

엄지와 검지를 동그랗게 말아서
훌라우프 만들어
밀려난 구름도
샘쟁이 바람도

얘들아, 모두 모두 모여라

나는 뭐든지 만드는
변신의 마술사

<詩作노트>

맑은 하늘과 따스한 바람이 불어오는 봄이 옵니다. 파란 하늘을 바라보며 오른손과 왼손으로 창문을 만들어 그림 같은 하늘을 담습니다. 순간의 봄을 담아 만끽하던 그때 봄을 시샘하는 바람이 불어옵니다.

밀려가는 구름이 흩어져 버리면 '요런 심술쟁이 바람 녀석'하고는 눈을 흘깁니다. 그러다 문득 가두고 나만 보려 했던 욕심을 내려놓고 모두가 함께 즐겁게 노는 상상을 해봅니다.

요즘 아이들은 학원가기 바빠서 놀 시간이 없습니다. 그래서인지 막내는 친구들이 놀자고 하면 자기 학원 갈 시간을 빼면서까지 친구에게 맞춰줍니다. 하지만 친구들은 자기 학원 시간 되면 휑하고 가버립니다.
어렵게 허락받은 시간인데 덜렁 혼자 남은 막내는 다른 친구들을 수소문합니다. 얘들아~ 놀자~

늦은 서녘
-식탁

저녁밥상에
지글지글 잘 구워진 조기 세 마리
두 마리는 아이들과 살만 떼서 적당히

남은 한 마리
시간마다 데우고 또 데우고
살과 껍질이 찰싹 달라붙을 때 쯤

집으로 돌아온 남편은
젓가락으로 살과 뼈를 바르며
현란한 수술을 집도 한다

하루 일을 마무리한 남편의 것

물고기 뼈 화석인 양
가지런히 참 잘도 발라내었다

창밖의 보름달이
유난히 크고 밝다

<詩作노트>

학원을 시작하면서 일반적인 저녁식사시간은 우리 생활에서 멀어졌다. 저녁 수업 시간에 제한이 없었던 때는 늘 새벽 1시가 저녁시간이었다. 수업 시간뿐만 아니라 시험 대비할 때는 12시가 기본이고 백야를 할 때도 있었다. 학원 수업이 10시로 제한되면서 저녁식사시간은 조금 앞당겨졌다. 그러나 중등부 수업은 6시부터 시작되어 일반적인 저녁식사시간은 늘 수업 시간이었다. 남들이 먹는 저녁시간은 현재도 일주일에 몇 번 되지 않는다.

시간이 흘러 한동안은 그래도 11시 전에 식사를 할 수 있었지만 중등부 수업이 다시 진행되면서 11시~12시 사이의 식사가 또 시작되었다. 이제는 성인이 된 두 딸과 함께 수업을 하면서 두 딸도 아빠와 같이 늦은 저녁식사를 해야 했다. 세 사람의 건강이 걱정되어 중간에 휴식시간을 넣고 간단하게라도 먹어야 한다고 으름장을 놓았다. 세 사람에 비해 여유가 있는 내가 도시락을 싸서 보내고, 간단한 간식이라도 준비해서 보낸다. 하지만 시간이 빠듯하여 도시락은 매번 차게 돌아오고, 집에서 다시 데워 먹어야 했다. 저녁 11시 30분! 오늘도 늦은 저녁을 먹는 사람들이 식탁에 모여 앉았다. 캄캄한 세상에 남편 혼자 먹던 식탁에는 두 딸이 함께 하며 외롭지는 않게 되었다.

백야(白夜)
-책상

새벽 3시
소리들이 소란스럽다

냉장고 소리
정수기 소리
간간히 코고는 소리
요란스럽다

책상 위 제멋대로 늘어진
언어들이 머리카락처럼
하나 둘 떨어진다

점점 느려지는 초침소리
최면에 걸린 듯 감기는
두 눈이 천근같다

책상 아래로 흘러내린
언어들이 새벽을 잠식한
소리와 뒤엉켜
아수라장이 된 채
아침을 맞이한다

<詩作노트>

모두 잠든 시간 조용히 머릿속을 헤집고 다닌다. 이리저리 뒤엉켜 있는 언어들이 자리를 찾지 못하고 있다. 시간은 흘러 새벽을 향해 달려가고 있고, 나의 글은 아직 한 자도 자리를 찾지 못했다.

매일 쓰기를 작정한 날부터 매일 쓴다는 것이 얼마나 지독한 외롭고 힘든 길임을 깨닫게 된다. 어둠은 모든 소리를 잠가버린다. 그래서 평소에는 들리지 않는 아주 작은 소리들이 더 크게 돌아다닌다. 새벽 초침 소리에 눈꺼풀이 박자 맞춰 깜박이더니 어느새 감기고 있다. 고개를 흔들며 몰아내도 책상 위의 컴퓨터에는 어질러진 언어들이 두서없이 적혀있다.

간간이 들리는 코 고는 소리에 신경이 다소 쓰인다. 나만 비추는 불빛에 모노드라마를 찍다가 결국 날이 새 버린다. 생각을 언어로 변화시키는 일은 고된 작업이다. 아무리 써도 늘지 않는 나의 언어들이 주인을 잘못 만나 고생이 많다.

3. 요리로 그려 낸

멸치볶음; 배그(배틀그라운드)
라면; 흥,칫,뿡
콩나물 무침; 나, 토종 한국산이야
미워도 다시 한 번; 백김치의 사연
달걀프라이; 아침을 맞은 그대에게
마라탕; 마라~마라~ 마라탕
돈가스; 진정한 돈가스
된장찌개; 손맛

배그(배틀 그라운드)
-멸치볶음

여기는 프라이팬
멸치는 응답하라
잠시 후 식용유가
진입할 예정이다

멸치는 뜨거워진 후 재빨리 들어오라.

치이익 치이익
여기는 프라이팬
앗! 이건
호두랑 아몬드를 투하 한다
멸치는 어떻게 된 것인가
멸치는 응답하라
호두랑 아몬드가
이곳을 선점했다
멸치는
아직도 준비가 안 되었나

아, 뜨거
꼭 달달 볶아야 해.
그냥 좀 내버려 둬!

<詩作노트>

이것은 멸치볶음인가, 견과류 볶음인가!
통풍이 있는 남편은 '치'로 끝나는 생선 종류를 조심하는 편이다. 아이들은 멸치가 몸에 좋으니 이 두 가지를 만족시키는 방법은 멸치를 볶을 때 견과류를 함께 볶는 것이다. 그런데 여기에 문제가 있으니 하나는 부실한 이로 인해 딱딱한 것은 사절이고 두 번째는 막내가 호두 알레르기가 있는 것이다. 세 번째는 멸치의 비린내를 싫어해 근처에도 가지 않는다는 것이다. 멸치냐 견과류냐 그것이 문제로다.

그래서 프라이팬에 멸치를 한 번 볶아낸 후 비릿 맛을 줄이고, 아몬드와 호두를 넣고(잣은 너무 비싸다 ㅜ.ㅜ) 볶다가 비릿 맛을 줄인 멸치를 알룰로스를 뿌려 마치 과자처럼 만든다.
촉촉함 대신 바사삭함을 선택하여 반찬으로도 먹지만 간식으로도 먹을 수 있도록 한다.
엄마의 길은 멀고도 험하다.

흥,칫,뿡
-라면

베베 꼬인 면처럼
비꼬는 너의 말 한마디

부글부글 끓는 내 마음에
꼬들꼬들 익혀서
우적우적 먹어 버릴 거야.

퉁퉁 불어버린 면처럼
부풀려진 너의 말 한마디

보글보글 푹 퍼지게 끓여
한 숟가락 듬뿍 떠서
꿀꺽 삼켜 버릴 거야

꺼어억 소화시킬 거야.

<詩作노트>

가까운 사이일수록 예의를 지켜야 한다는 말이 생각나는 요즘이다. 친구들의 말 한마디에 기분이 오르락내리락하는 막내를 보면서 떠오른 말이다. 어른들도 그렇지만 아이들은 친할수록 상대를 생각하기보다, 자기 기분 내키는 대로 친구들을 대하는 경향이 있다. 가장 좋지 않은 것이 자신의 기분을 상대에게 전이시키는 행동이다. 본인이 기분 좋으면 좋은 말, 다정한 말을 쏟아낸다. 그러다가 이유도 없이 갑자기 말을 하지 않거나 물어봐도 '몰라' '그냥 둬'라는 변덕을 부린다. 역지사지라고 입장 바꿔서 상대가 그러면 오히려 화를 낸다. 어른들도 감정 조절을 못하는 사람이 곁에 있으면 처음엔 이해해주려고 하다가도 횟수가 많아지면 짜증이 난다. 하물며 청소년 시기의 아이들이 상대의 기분을 이해하기에는 어려운 일이다. 그럴수록 자신의 상태를 이야기해 주는 것이 서로를 위해 좋은데 어려운 사이에는 최대한 감췄다가 친한 사람을 만나면 막 대한다.

친구에게 서운한 점이 생겼던 막내는 두 번 다시는 안 볼 것처럼 말하더니 다음날 아무 일 없는 듯이 낄낄대며 붙어 다닌다. 가끔씩 배배 꼬인 저놈들을 어떻게 요리해야 할까 생각해 본다.

나, 토종 한국산이야
-콩나물무침

누구냐?
우리 무시하는 사람
빛 한줄기 들어오지 않는
그곳도 견뎌내며 이겨낸 최후의 우리를.

누구냐?
머리만 크고 키 작다고

잘 들어라. 우리가 누구인지.

열탕과 냉탕을 오가도 버티고
고춧가루 다진 마늘 쏟아져도
눈물 한 방울 안 흘린
국산 콩으로 만든 꼬장꼬장한
토종 콩나물이다.

서로 똘똘 뭉쳐
GMO라는 오해를 씻겨 내고
수입산이라는 추측을 털어 내고
대한민국 대표 콩으로 식탁을 책임지는
콩.나.물. 이란 말이다

<詩作노트>

언제부터인가 비싸진 농산물가격으로 밥상에는 초록빛이 점점 사라지고 있다. 될 수 있으면 무농약으로 먹으려고 식품 표기를 확인하고, 유전자 변형이 안 된 콩으로 만든 식품을 눈에 불을 켜고 찾는다. 그래도 주머니 사정을 생각해 주는 콩나물은 두부 다음으로 출신 성분에 따라 값이 제각각이다.

그런데 국산콩나물은 가격은 둘째 치고 몸이 비리비리하고 자잘자잘 한 것이 영 못 미덥게 생겼다. 옆에 살이 통통하고 키가 늘씬하게 큰 콩나물은 가격까지 저렴하다. 장바구니에 넣고는 한 바퀴 휘휘 돌다 다시 제자리로 와서는 삐쳐있는 국산콩나물을 마주하게 된다. 이때 애국심을 발휘해야 하나? 주머니 사정을 생각해야 하나? 고민을 한 2초간 한다.

선택의 순간 특별한 한국인의 힘으로 국산콩나물을 과감하게 산다. 그런데 이 녀석 굉장히 꼬장꼬장하다. 국산콩에 대한 긍지가 느껴져 한마디 한다.

"멋지군! 너는 무칠 자격이 있다."

그날 저녁 식탁에 오른 녀석은 고소한 참기름 샤워를 한 후 그의 몸을 기꺼이 우리에게 내 주었다.

미워도 다시 한 번

-백김치

짭조름한 바닷물에 푹 담겨 한숨 자고
맛깔스런 고춧가루 바다친구 모두 모여
매콤한 배추김치가 입안에서 불을 낸다

라면에도 얹어먹고 찌개로도 안성맞춤
아뿔싸 매운맛에 한바탕 혼쭐나네
도와줘 불타는 내 입술, 달래줘 내 입속

양념과다 호흡곤란 빨간 입술 살려주는
천사의 등장이요 백의 천사 백김치

잠깐만,
고맙지만 사양해요.
지킬게요 내 자존심

<詩作노트>

시원 맛 서울김치, 젓갈의 향연 전라도 김치, 대기업의 맛 종갓집 김치, 처녀 김치 찾는 총각김치, 나도 끼워줘 깍두기. 오 마이 갓(김치). 워커홀릭 파김치, 꼿꼿하게 빼기 없기 고들빼기, 얼음 동동 동치미. 각종 김치들을 맛보던 즐거운 시절이 있었다. 엄마의 손맛으로 일 년 내내 냉장고에서 줄을 서던 녀석들이다. 그중 가장 손맛 내 담기 어렵다는 백김치는 신의 경지였다. 같은 재료 중에 고춧가루만 없는 것 같은데 "아따, 그 맛이 일품이지라"

어릴 때 우리 아이들은 할머니가 담가주시는 백김치만 먹었다. 김치 없이 못 사는 녀석들이라 김장을 해서 일 년 먹을 김치들을 김치냉장고에 꽉꽉 채웠다. 그런데 아이들이 점점 크면서 입맛도 변하고, 많이 먹지도 않게 되었다. 김장을 하지 않아도 엄마는 틈새만 보이면 백김치를 담으시려고 한다.
매운 걸 잘 못 먹는 둘째와 막내를 위해서다. 그런데 이 녀석들이 자존심에 백김치는 굳이 사양한다. 물을 벌컥벌컥 마시면서도, 가위로 자잘 자잘하게 잘라먹으면서도 식탁 위에 자리 잡은 백김치가 민망하게 애써 외면한다. 미안해 백김치야, 오늘도 김치찌개 중화용으로 들어가 줘야겠어~~~

아침을 맞은 그대에게

-달걀프라이

당신이 주는 아침에 감사합니다
단단한 껍질을 깨
황금빛 태양을 주시는 고마운 이여!
특란 대란 중란 무농약 유정란
많고 많은 달걀 중에도
당신은 오직 나만의 달걀
눈을 감고 가만히 생각해 봐요
프라이팬 위에서
아름답게 부쳐지는 달걀은 하나이듯이
당신은 이 세상 그 누구도
대신할 수 없는
오직 한 달걀이란 걸
얼마나 아름답고
신비로운 기적인가요
당신은 축복받아 마땅한 달걀!
이 세상의
가장 작은 모습으로
완전한 영양을 주시는
당신께 이 기쁨을
모두 드립니다

<詩作노트>

오늘도 마트에서 특란 30구를 사 왔다. 아침마다 달걀 프라이는 우리 집 식탁에서 빠질 수 없는 중요한 분이다. 이 분이야말로 살신성인의 자세로 뜨거움을 견디어 내시며 건강을 생각해서 영양까지 듬뿍 담는 분이시다. 이런 분을 매일 삶기란 조금 치지는 일이라 이제는 마트에서 구운 달걀님도 한 판을 사 온다. 아침, 점심, 저녁 할 것 없이 '군것질대신 달걀이 더 좋더라'를 외치며 먹어치운다.

그동안 내가 먹은 닭의 알들은 얼마나 될까. 우리 식구가 6명이니 하루 최소 6개 X 30일을 하면 180알. 한판에 30개씩 들었으니 최소 6판. 1년이면 180 X12 하면 일 년에 먹는 닭의 알들은 1,260. 최소 72판이다. 아후~ 수치화하니 장난 아니구나.
이러니 닭의 알님들에게 감사를 안 할 수가 있으랴~
식구들을 대표해서 감사 인사드립니다.

마라~마라~마라탕

-마라탕

밥 먹을 때 휴대폰 보지 마라
소리 내면서 먹지 마라
다리 떨지 마라
양말 좀 뒤집어 벗지 마라
책상 어지르지 마라

엄마의 1단계 마라를 모아
3단계 마라맛으로 조리하자

공부하지 마라
숙제하지 마라
학원가지 마라
일찍 일어나지 마라

톡 쏘는 맛에 입안이 얼얼
정신이 아득하지만
실실실 웃음이 난다

기분이다
엄마에게는 1.5단계를 선물하자
-마라 마라 마라탕!
잔소리하지 마라

<詩作노트>

요즘 아이들이 제일 좋아하는 음식은 마라탕이다. 마라는 중국 사천 지방의 향신료로, 혀가 마비될 정도 맵고 얼얼한 맛을 뜻한다. 고추장의 매운맛, 겨자의 매운맛과는 길이 조금 다르다. 기름기가 많아 완전 선호는 아니지만 막내는 아주 좋아한다. 처음엔 0단계를 먹더니 1단계 그리고 지금은 1.5단계를 먹는다. 각종 야채 그중에 숙주를 듬뿍 거기에 옥수수 면, 넓적 당면 소고기를 넣고 특유의 향신료 냄새 폴폴 풍기는 이 음식을 막내는 사랑한다. 향신료 넣은 국물 대신 담백한 국물을 넣는다면 샤브샤브와 다를 것이 없어 보이지만 후각을 자극하는 마라탕은 그 출신이 다르다.

엄마가 하는 잔소리는 그다지 맵지 않다. 맵다면 벌써 말을 들었겠지만 말이다. 그런 엄마의 '마라'를 모아 도전할 수 없는 3단계에 도전해 본다. 너무 원하던 것들이지만 실제로 먹지 못하는 그렇지만 상상만 해도 기분 좋은 맛이다. 아직 먹어보지 않았을 엄마를 위해 적당한 맵기를 권한다. 1.5단계 잔소리도 딱 요만큼만 하면 어떨까 ^^

진정한 돈가스
-돈가스

가장 훌륭한 맛은 아직 찾아지지 않았다
가장 완벽한 자태는 아직 완성되지 않았다
최고의 맛은 아직 결정되지 않은 맛
가장 깨끗한 기름은 아침의 첫 이슬 같고
가장 날렵한 두드림은 아름다운 음악소리 같다
적당한 크기
적당한 온도
적당한 두께
적당한 썰림
가장 빛나는 소스의 도움이 없이도
바사삭 소리에 펼쳐지는 불멸의 맛
그리하여
더 이상 어떤 행동도 취할 수 없는
더 이상 어디서부터 먹어야 할지 알 수 없을 때
그때가 비로소 진정한 돈가스의 시작이다

<詩作노트>

세상 가장 맛있는 건 기름에 튀긴 것이라고 한다. 오죽하면 신발을 튀겨도 맛있다고 할까. 그런데 요즘 녹말 이쑤시개를 튀겨먹는 유튜버들을 보게 되면서 경악을 금치 못한다. 이러다 진짜 신발도 튀겨먹을라. 각설하고, 튀김 종류를 무척 사랑하는 우리 가족은 떡볶이에는 짝꿍으로 튀김을 고른다. 튀긴 것 중 상위레벨은 단연 돈가스다. 돈가스는 어디서 어떻게 먹어도 맛있다. 고기의 질에 따라 다르다고 하지만 분식집에서 파는 '피카추'도 맛있을 정도면 고기 맛인지, 기름 맛인지 구분을 못할 정도다.

매주 목요일에는 아파트에 場이 선다. 먹을거리가 특별한 것이 없어 늘 구경만 하고 입맛만 다시다 집으로 돌아왔다. 그런데 이곳에 떡꼬치와 피카추가 등장했다. 가장 사랑하는 음식들이 출몰은 아드레날린을 분비시킨다. 이 조합 맛이 없을 수가 없다. 피카추의 귀 한 부분을 뜯으며 제주의 연돈 돈가스를 상상한다. 아~ 나는 연돈 돈가스를 먹고 있는 것이다. 먹고 있는 것이다~

손 맛

-된장찌개

양파 썰고 감자 썰고 호박 썰고 두부 썰고
네 차례다 쌀 뜬 물에 휘리릭 된장 풀어
맛나게 끓어라 끓어 보글보글 자글자글

된장찌개 한 순갈에 밥도둑이 따로 없다
엄마 손 맛 그만 일세 콧소리가 절로난다
꺼어억 잘 먹었습니다. 두둑한 내 뱃속

<詩作노트>

손맛이 좋았던 엄마를 둔 덕에 나는 음식에 대해 까탈만 부렸지 해 먹어 본 적이 없다. 나의 첫 음식은 결혼해서였는데 바로 그 유명한 계란 레시피다. 계란 국, 계란말이, 달걀 프라이. 밥은 전기밥솥이 하는데도 매일 진밥이다. 그래서 엄마 집 냉장고는 매주 털렸다. 장조림, 우엉조림 김치 등이 매주 장물이 되었다. 폐암 말기였던 시어머님이 살아계실 때 결혼해야 한다고 해서 일 년에 큰 아들과 작은 아들 둘을 결혼시켰다. 시어머님이 돌아가시고 그 다음 첫해에 시아버님은 물김치를 드시고 싶다고 하셨다. "물김치? 아! 그거 우리 엄마가 진짜 잘 담그는 건데" 나는 재빨리 엄마에게 전화를 걸었고 엄마의 지시에 따라 물김치에 도전했다. 나름의 만족감으로 완성을 하고 잠이 들었다. 그런데 다음날 아침 부엌에서 무언가 부스럭거리는 소리에 잠이 깼다. 이제 갓 결혼한 며느리의 음식 솜씨가 맘에 안 드셨는지 손수 죽순을 무치고, 어제 나름 만족스러운 물김치의 배추를 아주 자잘하게 자르고 계셨다. 새콤달콤하게 무친 죽순은 아무나 맛볼 수 없는 귀한 재료인데 그때의 나는 워낙 초딩 입맛이라 입에 넣고 질겅질겅 씹고는 있지만 이걸 어떻게 삼켜야 하나 화가 잔뜩 나있었다. 거기에 엄마의 특훈으로 만든 물김치를 손대는 아버님에게 "왜 이렇게 배추를 자르시냐"라고

훈세끼지 두었다. 어이없이 쳐다보시는 아버님을 보면서도 미안한 기색이 전혀 없었던 철부지 새댁이었다. 그런 아버님이 내린 다음 지시는 메주를 띄워야 한다는 것이다. 메주를 띄워? 그게 뭐야? 눈을 동그랗게 뜨고 어떻게 하는 건지 물어보는 내게 아버님이 한숨을 쉬셨다. 메주콩을 사서 삶은 다음 쪄서 네모지게 만들고 새끼로 묶어서 걸어놓으면 된다고 하셨다. 메주콩이 뭐야? 왜 삶아? 별별 생각을 하면서 아버님께 "저는 그런 거 못해요. 아버님 잘 아시니 한 번 해보세요. 제가 옆에서 도울게요" 하고 말했다. 그때 아버님의 어이없어 하는 모습이 생생하다. 아마 어머님이 돌아가시고 혼자 사시면서 된장을 해 놔야 찌개라도 끓여 드실 텐데. 그때나 지금이나 음식에는 관심이 없는 터라 뭐가 중요한지 몰랐을 거다.

그 후 25년이 지나 친정엄마와 살게 되면서 생전 처음 메주를 만들어봤었다. 꾸덕꾸덕하게 말라가는 메주를 보면서 구수하게 끓여질 된장찌개를 생각하게 된다.

솜씨 좋은 엄마 덕에 된장찌개만은 늘 엄마의 몫이다. 시판용 된장으로 끓이는 된장찌개와는 깊음이 다르다. 나이가 들면서 식탁에 엄마가 끓여주는 된장찌개를 먹으며 생각한다. '아, 이래서 메주를 원하셨구나. 그런데 어쩌나요. 30년이 지난 지금도 메주는커녕 시판용 된장으로도 그 맛을 못내는 걸요'

4. 감정으로 향기 낸

반가운; 로또복권
평화로운; 갱년기증후군
놀란; 유통기한
기대되는; 알라딘의 요술램프
아쉬운; 위대한 마에스트라
용기나는; 새싹
후회스러운; 말랭이
화나는; 탄소의 깨달음
기운이 나는; 사랑

로또복권

-반가운

연예인과 악수하던 그 순간
황금 똥 기저귀를 갈아 주던 그 순간
맑은 물에 몸을 씻던 그 순간

이제야 꾼 꿈을 입 꾹 다물고
부랴부랴 서둘러
로또 한 장 사러간다

복권 방에 붙어있는 1등이 되는 꿈들
내가 꾼 꿈은 어디 있나
두 눈 부리면서 찾아본다

아, 여기에 있다
반가운 마음에 숫자도 잊고
자동이요를 외치며 만원 한 장을 낸다

오늘은 월요일
토요일을 기다리며
주머니 속 숫자들이
이리저리 뒹굴면서 세상에 나온 것을 자축한다

<詩作노트>

그날 밤에는 연예인과 악수하는 꿈을 꾸었다. 꿈을 꾸는 그 순간에도 '와~ 이 꿈은 대박예감일 세'라며 눈을 뜨고서도 잊지 않으려고 노력한다. 12시 전에 꿈 이야기를 하면 효력이 사라진다는 미신을 믿으면서 아무에게도 말하지 않고 로또 파는 곳이 어디 있는지 확인한다. 복권을 파는 곳이 너무 눈에 띄는 곳에 있으면 조금 부담스럽다. 너무 외진 곳에 있으면 사러 가기가 어렵다. 그런데 학원 근처에 로또 파는 곳이 생겼다. 그곳에 가면 주인아저씨는 복권을 주면서 이렇게 말한다 "당첨 되십시오" 그 말이 그렇게 기분 좋을 수가 없다. 기대를 듬뿍 담은 복권을 주머니에 넣으며 토요일을 기다린다. 월요일에 샀을 때는 1등을 꿈꾸고, 화요일과 수요일을 지나면서는 2, 3등이라도 좋겠지 라고 생각을 한다. 그러나 막상 토요일이 되면 그냥 등수에 들면 좋겠다고 생각한다. 추첨이 끝나고 '낙첨 되었습니다'가 뜨면 꿈을 다시 회상하게 된다.

반갑게도 어젯밤에는 똥 기저귀를 가는 꿈을 꾸었다. 이번에도 일어나면서 생각했다. 좋은 일이 생길 것만 같다. 부지런히 네이버를 검색해서 꿈 해몽을 찾아본다. 물론 내가 원하는 해몽이 있을 때까지. 그리고 또 달려간다. "아저씨 자동으로 주세요"

갱년기 증후군

-평화로운

문득
몸이 뜨거워질 때가 있다
내 삶에 낙인을 찍어 영원히 가두려는 저녁
조각난 내 영혼들이 맨발로 차가운 거리를
정처 없이 떠돌 때가 있다
그 이유를 물으면
어린 날의 나를 보내지 못하고 있는 중이라서

문득
몸에 열기가 사라질 때가 있다
아파트 사이로 긴 햇살을 보내온 아침
지난밤 헤매다 돌아오지 못한
나의 조각들이
그 빛을 따라 돌아와 쉬고 있을 때가 있다
그 이유를 물으면
어린 날의 나를 보내고 있는 중이라고

기침소리도 잦아든 새벽
이렇게 문득 깨어
잠든 너의 얼굴을 볼 수 있음에
감사함을 느낄 때가 있다

<詩作노트>

폐경이라는 진단을 받았을 때 나는 아무렇지도 않았다. 어차피 삶에 있어서 당연히 오는 단계가 아닌가 싶기도 했다. 하지만 딸들은 그런 엄마를 위로해 주었다. 예쁜 케이크를 사서 끝이 아니고 시작임을 축하해 주었다. 그런데 이 끝남과 동시에 시작한 갱년기 증상은 예상과는 다른 길로 나를 이끌었다. 우울까지는 아니었지만 짜증이 나고 좋지 않은 생각들이 스쳐 지나갔다. 거기에 갑자기 몸이 더워지기도 하고 식기도 했는데 어떤 때가 있는 것도 아니고 발생하기 전에 어떤 경고도 없었다. 밥을 하다가도 갑자기 화가 나고, 밥을 차리다가도 화가 나고, 설거지하다가도 화가 났다. 갑자기 열기가 온몸을 휘몰아쳤다가 한 호흡 내쉬면 다시 제자리로 돌아오기도 했다. 밤은 잠을 쫓아내었다. 누우면 과거의 생각들이 몰려와 잠을 방해했고, 앞으로 내가 할 수 있는 일이 있을까 하는 미래의 일로 불안했다. 온몸이 무거움으로 가라앉아도 생각은 또렷해졌다. 그렇게 밤은 잠을 조각 조각내어 흩어지게 했다. 그 잠들을 찾아다니느라 숫자도 세어보고, 책도 읽어보고, 아무 생각도 하지 않고 시간만 흐르게 둔 적도 있다. 그렇게 뒤척거리다 두 다리 쩍 벌리고, 침을 쓱 닦으며 쿨쿨 자는 막내의 얼굴을 보니 피식 웃음이 난다. 막내는 전쟁에서 승리한 개선장군이다.

유통기한
-놀란

냉장고 속은 시간의 블랙홀
빨려 들어가면 나올 수 없다

퀴퀴한 냄새로 신호를 보내도
꾹 참고 꾹 닫아버린다

냉장고 문짝에서 발견된
입구가 말라비틀어진 참깨 드레싱
좀 더 안쪽으로 길을 열자
먹나 남은 만두 두 개가
반찬통 속에서 똬리를 틀고 있다

스멀스멀 기어 나오는 냄새로 찾아낸다
짙푸른 양념간장, 꾸덕해진 오징어채
시들어진 파김치, 기다린 시간만큼 하얗게 샌 땅콩버터

어느새
거울 속의 내 모습도
유통기한이 임박했음을 알린다

<詩作노트>

샤워를 하려고 벗은 내 모습을 보고 깜짝 놀란다. 거울 속의 내 모습은 빌렌도르프의 비너스 상이 되어 있었다. 물론 밀로의 비너스 상인 적도 없었지만 말이다. 이제는 화장을 하지 않으면 눈 밑 지방이 받쳐주지 못해 사진에 그대로 찍혀 나오고, 한 달에 한 번 하던 새치 염색은 2주로 점점 짧아지고 있다. 나이 먹는 것이 서글프다고 생각하진 않지만 빌렌도르프의 비너스로 변해가는 내 모습을 보면서 적어도 현대인으로 살자는 마음을 먹게 된다. 그러나 아침 일찍 운동을 가기 싫은 오만가지 핑계를 눈을 뜨면서 하기 시작한다.

아침을 차리려고 냉장고 문을 여는 순간 탈취제를 갈아야 할 시기를 알려주는 냄새가 난다. 말라비틀어진 소스를 보면서 쓰윽 꺼내 날짜를 확인한다. "어? 유통기한이 벌써 지났네." 하면서 다시 집어넣으려는데 옆에 있는 또 다른 녀석이 눈에 띈다. 귀찮음이 순식간에 사라지면서 냉장고를 뒤적거린다. 여기저기서 유통기한이 지난 녀석들이 등장한다. 관리의 실패! 매일 여닫으면서도 이것조차 확인해보지 않았다니. 그때 거울에 비친 내 모습이 겹쳐진다. 나는 현재에 살고 있는데 나의 몸은 과거에 살고 있다.

"난 빌렌도르프의 미녀는 되고 싶지 않아"를 외치며 신발을 신고 집을 나서본다.

알라딘의 요술램프
-기대되는

램프에서 나온 지니는
21세기에 갇혔다

세 가지 소원만 들어주면 되었는데
현대인들은 원하는 게 너무 많아져
막강한 지니를 탄생시켰다

-지니야, TV켜줘
-네, TV를 켭니다
-지니야, BTS노래 찾아줘
- 네, BTS노래를 찾고 있습니다
-지니야, 27번 틀어줘

지니를 만난 엄마는
기대에 부풀어 소원을 말한다

-지니야, 멋진 남자 연결해 줘
- … … …
-지니야? 지니야? 지니이이이이야

<詩作노트>

랩프의 요정 '지니' 무엇이든 들어준다고 하지 않았는데도 '지니'에게 무슨 소원이든 말하고 싶어진다. 오래전 '모래요정 바람돌이'나 '도라에몽'이 들어주는 소원과는 차원이 다른 소원이다. 동양과 서양의 스케일이 다른가 하는 우스운 생각도 해본다. 작은 램프 속에 사는 '지니'의 입장은 한 번도 생각해 본 적이 없다. 애니메이션이나 실사를 보면 그 커다란 덩치가 작은 램프 속에 살면서 얼마나 힘이 들까를 생각해 보게 되는 걸 보면 현실에 적응하며 사는 나를 보게 된다. 가족이 모두 건강하게 지내길, 돈도 많이 벌기를, 원하는 대학에 붙기를, 원하는 직장에 다니길, 공부도 잘하길 등등 수도 없이 많은 소원이 있다. '지니'는 딱 3가지 소원만 들어주는데 너무 많아서 들어 줄 수가 없나 보다.
그럼, 지금부터 3가지만 추려볼까? 이걸 빼자니 저것이 아쉽고, 저것을 하자니 이것이 아쉬우니 참 결정하기 어렵다. 요술램프 속 '지니'는 이제 램프 속에 있지 않다. 지니는 21세기에 갇혀버렸다. 지니한테는 미안하지만 나의 손이 되어 주고 있어서 얼마나 고마운지 모른다.
"지니야~ TV 켜 줘" "지니야~ 6번 틀어줘~" "지니야~ 연결해 줘~" 앗! 벌써 3가지를 다 썼네
지니야, 미안! 자유는 다음 기회에......

위대한 마에스트라
-아쉬운

한 방울도 흘리지 마라
내 사전에 불가능은 없다

조곤조곤한 손놀림으로
소주와 맥주의 황금비율을 만드는
장인의 솜씨

숟가락 한 번 '탁' 쳐주면
오케스트라의 향연이 펼쳐진다

휘몰아치는 그녀의 지휘가 막을 내리면
관객들은 한숨을 쉰다

어지러운 세상으로 복귀하면
그녀의 아름다운 지휘가
더욱 목마르다

<詩作노트>

술을 못 마시는 엄마를 위해 큰 딸은 노력한다. "이럴 땐 한 번 마셔주는 거야" 자신의 잔에 술을 따르면서 엄마도 마시라고 조금씩 나눠준다. 기특한 녀석인가? 어쨌든 한 모금도 못 마시던 나는 이제 2도짜리 술(이건 술이라 할 수 없다는 지론이시다) 한 캔은 거뜬하게 마신다. 딸아이는 소맥의 황금비율을, 자신만의 비법으로 하이볼을 제조한다. 모임이 있을 때 시범을 보이면 모두 무릎을 꿇고 딸아이의 술 제조 과정을 경건하게 쳐다본다. 이 마법 같은 술맛에 빠지면 딸아이가 참석하는 곳은 화려한 술 파티가 진행된다. 맛있게 먹으면 0칼로리라지만, 술은 취할 만도 한데 끊임이 없다. '하하 호호 깔깔' 웃게 만드는 딸아이의 솜씨는 예술의 경지다.

그래서인지 친척모임에 큰 딸이 안 가면 모두 술에 아쉬움을 타서 마신다. 이번 모임에서는 회비에서 술값을 지출할 테니 마음껏 연주해 보라는 특명이 내려졌다. 위대한 마에스트라는 지금 트레이더스를 향해 우아하게 걸음을 옮긴다. 그녀가 찜해둔 명절 선물 세트로 준비된 술을 사기 위해서......

새싹
-용기나는

단단한 껍질을 뚫는 것도 힘들고
더 단단한 땅을 뚫는 것은 더 고되고
에라 모르겠다 그냥 포기해 버릴까

얼굴 빨개지도록 힘을 써봐도
아직 멀었다 한다
에라 모르겠다 그만할까

퉁퉁 불어버린 내 얼굴
갈라지고 터져버린 내 얼굴
에라 보기 싫다 꺼져 버릴까

그래도 여기까지 왔는데
조금만 더 해 볼까
빨개진 내 얼굴만큼
나긋나긋해진 껍질
은근하게 달아오른 공기

세상은 저절로 좋아지지 않는다
끙차! 오늘도 힘내보자

<詩作노트>

눈이 녹아 질퍽한 땅을 지나가다 뜻밖의 손님을 만난다. 아주 아주 작은 씨앗 하나가 얼어붙은 땅을 뚫고 나오려고 애를 쓰고 있다. 호기심에 발걸음을 멈추고 쪼그리고 앉았다. '이 겨울에 어찌 나왔을까? 성질 급한 녀석인가 싶다가도 아직 남은 추위에 잘 견뎌야 할 텐데' 하면서 신경을 쓴다. 그 길을 지나갈 때마다 혹시나 하는 마음에 살펴본다. 신기한 건 어느 날은 보였다가 어느 날은 눈에 띄지도 않는다. 죽었을까 싶으면 살아있고, 잘 살아있나 싶으면 사라지는 말썽꾸러기 녀석이다.

하지만 추운 겨울이 지나면 세상은 초록으로 덮인다. 그들이 보낸 겨울 속의 시린 땅속에서 얼마나 많이 포기하고 싶었을까. 우리 아이들도 견뎌내는 힘을 길러보길 바란다.

말랭이

-후회스러운

말린 버섯들이
말린 무청들이
말린 늙은 호박이
한 낮의 햇볕아래 널브러져있다

이제 그만 하라고
더 이상 먹는 사람 없다고
'힘들다'하면서 하지 말라 했다

할 일 없어진 햇볕이
할 일 없어진 그녀를 찾아와
몸을 말리고 있다

말린 고구마
말린 무
그리고 그 옆에 말라가는 그녀

<詩作노트>

엄마는 봄이면 쑥을 캐서 말리고, 여름이면 해당화를 말리고, 가을이면 무청과 무를 말리고, 겨울이면 늙은 호박을 말린다. 아파트로 이사 온 후로는 말릴 곳이 더 이상 없는데도 구석이 눈에 띄면 무조건 말린다. 먼지 투성이 속에서 말리는 음식이 좋을 리 없지만 엄마는 힘들다 하면서도 말리고 있었다. 말리고 뒤집는 일은 어지간한 정성으로 되지 않는다. 요즘은 말리는 기계가 나오지만 엄마의 고구마 말리는 솜씨는 기계에 비할 바가 아니다. 하루에도 몇 번을 뒤집고 또 뒤집어 꾸덕꾸덕하게 말린 고구마는 '그만해, 하지마'라는 내 입을 꾹 다물게 한다.

아파트로 이사 온 지 벌써 4년째다. 테라스 한 귀퉁이에서 눈치 보며 말리던 일도 이제는 드물어진다. 과학의 발달로 더 이상 말려서 먹지 않아도 싱싱한 채소들이 쏟아져 나오기 때문이다. 오늘 TV 앞에 누워 쪼그라들고 있는 엄마를 보니, 집이 지저분해진다고, 아무도 안 먹는다면서 못하게 한 것이 못내 마음에 걸린다.

탄소의 깨달음

-화나는

소는 소화불량에 걸려 온종일
뿌우웅 뿌웅 방귀를 뀌어대고

올여름 휴가도 못 가고 일한 자동차는
꿀럭꿀럭 기침을 해댄다

텅 빈 놀이터에는
햇볕이 쇠로 만든 미끄럼틀을 타고 놀고

연장 근무하는 나무 위로
불빛이 환하게 비춘다

아,
지구가 열받아하는 이유를 알 것 같다

<詩作노트>

환경오염에 대한 일이 어제, 오늘 일은 아니다. 알고 있지만 실천하기 힘든 일이 바로 환경보전에 관한 일이다. 그런데 분리수거를 하면서 든 생각이 있다. '진짜 분리수거하면 지구가 깨끗하게 되는 일에 도움이 되는 걸까' 이런 의심이 든 건 일본 여행을 했을 때다. 일본도 분리수거를 하긴 하지만 우리와는 다른 시스템이었다. 탈 수 있는 것들은 일반 쓰레기로 분류하고 플라스틱, 철제는 따로 집 밖에 내놓으면 수거해 간다. 예전 말레이시아에 가봤을 때도 분리수거의 개념은 없었던 것 같다. 이번에 호주로 여행을 떠나는 딸과 함께 찾아봐도 우리나라처럼 분리수거하는 것은 못 봤다. 우리나라가 더 열심히 하는 건가?

'위장환경 주의'라는 책을 보면서 기업들의 야비한 운영에 대해 한 번 더 알게 되었다. '왜 세계의 절반은 굶주리는가'를 읽으면서 '나부터 해야지'라는 생각으로 용기 내 챌린지(음식을 살 때 용기를 가지고 가는 것)도 해보고, 텀블러 사용(자주 잊어서 그냥 가기는 하지만)도 했다. 그러나 이번에 책을 보면서 과연 누구를 위한 환경운동인지 생각해 보게 된다. 지구는 날로 더워지고, 자연은 인간에 의해 철저히 외면당하는 지금 진짜 '나 하나라도 잘하면'이 되는지 생각해 보게 되는 오늘이다.

사랑
-기운이 나는

꼼지락꼼지락 햇살을 만지던
앙증맞은 작은 손
살며시 엄마 얼굴에 닿으면
몽글몽글 피어나는 눈물방울

일어서면 넘어지고 다시 일어서는
그 첫걸음의 발 끝을 보면
기적 같이 피어나는 웃음

조그마한 입술을
옴팡지게 모아
따스한 바람으로 '엄마'를 부르면
온몸 소스라치게 돋아나는 희열

내가 비로소 엄마가 되는 순간

<詩作노트>

호랑이 기운이 솟아나게 하는 힘에는 '사랑'이 자리 잡고 있다 어떤 사랑의 존재보다 가족의 사랑은 지친 나를 일으켜 세운다. 남편과는 다툼이 거의 없다. 언제나 일방적인 사랑이다. 표현이 서툰 나대신 남편은 언제나 표현한다. 딸들도 좋아하는 표현을 잘하지 않는다. 그래서 아빠가 팔 걷고 나섰다. 과하게 사랑 표현하기. 안아주고, 뽀뽀해 주고, 궁둥이 팡팡까지.
낯선 이 행위가 두 딸에게 자리 잡기까지는 꽤 시간이 걸렸다. 그러나 우리 모두 막내가 태어나고 나서는 누구도 하라고 하지 않았는데도 서로의 애정표현이 하루 24시간이 부족할 정도다. 그 꼬물꼬물 한 손은 치유의 손이 되었고, 첫 발을 떼고 나서는 환희였으며, 엄마, 아빠, 언니라는 말이 트이자 24시간 채널 튼 라디오처럼 조잘대었다. 친척모임에서 이번에 중학교 가는 막내를 보면서 한 마디씩 한다. '낳기까지가 힘들었지. 낳아놓으니 벌써 저렇게 컸네' 아니다. 나이 든 엄마를 위해 언제나 '사랑해요'라고 예쁘게 말하고, 잠자러 가면서도 '엄마, 빨리 와~' 하면서 늘 안아주고 가니 힘든 건 없었다.

물론 밤마다 잠꼬대와 발차기, 옆으로 밀기, 침 흘려놓기 등을 시전 하여 밤새 기운을 쏙 빼놓아 아침이면 다크서클을 달게 하지만 말이다.

5. 치유로 우려 낸

벚꽃빙수
찔끔
알고 싶어요
짧은 만남
누군가의 택배 상자
그녀는 때때로 카이로스의 시간을 여행한다
사계절 배달하는 인연 가게
달빛이 부르는 노래
텃밭을 그리는 화가

벚꽃빙수

해님이 피어내고
구름이 감싸주면
바람이 알알이 갈아줘요

사르륵 사르륵
소리까지 맛있는
벚꽃빙수

아, 하고
나 혼자 먹어도 맛있지만
엄마, 아빠, 언니, 오빠의
까르르 웃음으로 토핑하고
함께 떠 먹으면
더 맛있어요

한 입, 두 입, 세 입……
먹을 때 마다
분홍웃음, 하얀웃음
몽실몽실 피어나는

4월에만 파는 한정판이에요

<詩作노트>

만개(滿開). 꽃이 활짝 피었다는 뜻이다. 해안로를 따라 드디어 벚꽃이 만개했다. 눈이 즐겁고, 수다 떠는 입이 즐겁다. 이사 오고 나서는 매년 이 길을 달린다. 해안로를 따라 시작되는 아파트에서 학원인 본오동 까지 멋진 길이 펼쳐진다. 낮에도 잠시 내려 육교 위로 올라가 근사한 벚꽃 길을 찍는다. 이제 일부러 학원에서부터 집까지 걸어오는 시기가 되었다. 저녁에 걸어가는 길에는 여유가 넘친다. 하늘하늘 떨어진다는 표현이 이렇게 딱 맞는 순간이다. 입을 아~하고 벌려 떨어지는 벚꽃을 먹어보려 하지만 한 번도 성공한 적이 없다. 하늘하늘 떨어지는 벚꽃이 마치 눈꽃빙수 같다.

여기저기 웃는 소리, 찰칵찰칵 사진 찍는 소리와 어울려 벚꽃 구경은 절정에 이른다. 혼자 보는 것보다 식구들이 같이 보는 게 더 즐겁다. 식구(食口) 한집에 함께 살면서 밥을 같이 먹는 사람이다. 한집, 함께라는 단어가 꼭 붙어 있다. 가족이라는 말보다 더 정겹게 느껴진다. 벚꽃나무 길게 늘어선 이 해안로 길에 식구들과 나란히 서서 걷는다. 개구쟁이 바람의 장난으로 꽃잎들은 날리고, 식구들은 한 줄로 나란히 걷다가 뛰다가 사진 찍다가 웃다가 한다. 머리 위에 떨어진 꽃잎, 떨어지고 있는 꽃잎들 그리고 식구들의 웃음소리 모두 4월에만 즐길 수 있는 봄 에디션이다.

찍끔

얕은 가장자리에
엄마오리가 두 날개를 접고
아기 오리들을 째려보고 있다

꽤꽤꽤액
꽤꽤애액

엄마오리의 호통에
아기오리들 고개를 숙이고
오리발을 내밀고 있다

깊은 물 속으로 헤엄쳤을까
장난치다 다쳤을까
투닥투닥 싸웠을까

엄마가 하지 말라는 것만
골라하는 녀석들

꽤꽤꽤꽤애애액

발 사이에 머리 박고
눈물 꽤나 흘리겠다

<詩作노트>

어느 날 단톡방에 사진 한 장이 올라왔다. 사진을 보면서 단톡방에서 많은 이야기들이 오고 갔다. 사진 한 장으로 다양한 상상력을 발휘한다는 것이 놀라워 집단 지성의 힘이라는 거창함을 붙여본다. 사춘기에 접어든 막내는 요즘 언니들과 투닥거림이 끊이지 않는다. 한두 살 차이도 아니고 강산도 변한다는 10년 이상의 나이 차이는 '여자'라는 같은 종 안에서는 그 힘이 발휘되지 못하는 듯하다.

막내는 언니들에 대해 불만을 토로한다. 같이 입자고 사놓고는 "내가 미리 말 안 하고 당일에 한다고 짜증 낸다"고 투덜거리고, 언니들은 "같이 입는 것이니 미리 말해야 하는 것"이라고 맞선다. 샤워를 하고 늘 돌려놓지 않아 물벼락을 맞는 언니들은 한두 번의 경고 후 바로 응징한다. 막내는 잊을 수도 잊지 그걸 그렇게 혼낸다고 불만이다. 다른 사람에 대한 배려가 없고 자기만 생각하기 때문이라는 이유를 들이대며 막내를 몰아붙인다. 딸 셋을 바라보면서 나는 꽥~~액 하고 소리 지르고 싶을 때가 한두 번이 아니지만 꾹 참는다. 언니들이 어린 나이도 아니고, 나는 매우 편파적인 막내 바라기이기 때문이다. 그래서인지 사진을 보니 아이들 어릴 때가 생각난다. 자기 둘만 있었을 때도 싸워놓고는 그걸 다 컸다고 그새 잊었나 하면서 말이다.

알고 싶어요

더운물이 나오지 않은 방 한 칸이었지만 두 사람의 온기만으로도 따스했다 부엌과 화장실이 모두 방안에 있는 작은 방 한 칸은 싸워도 꼭 붙어서 자야만 했던 그래도 좋은 날들이었다 월급봉투가 편지봉투 만큼 얇은 그 달엔 아내에게 미안한 남편이 천원지폐로 두둑하게 만들고 할 줄 아는 반찬이라곤 계란부침 뿐이던 아내는 뽀얗게 일어난 계란찜을 준비하며 포근하게 덮어준다

반짝이는 별 보다 더 빛나는 불빛들은 더 이상 어둠이 무섭지 않고 다투어도 각자의 방으로 갈 수 있는 넉넉한 공간 두둑해진 통장을 껴안고도 매일을 저울질하며 살아야하는 LA갈비를 굽고, 건강식을 준비하며 그래도 가끔은 그 때가 그립지 않은지 애틋한 사랑을 잊지는 않았는지 나에게 묻고 싶은 밤입니다

<詩作노트>

새 아파트로 이사 와서도 방은 모자랐다. 남편과 나, 아이들 셋. 그리고 엄마까지 6식구가 살기에 방은 늘 부족하다. 전에 살던 집은 방을 넓게 뺀 옛날 스타일의 집이었다. 큰 방이 3개였는데 큰 애가 중학생이 되면서 방을 따로 줘야 했다. 그때도 이층 침대를 우리 방에 놓고 둘째와 남편 그리고 내가 같이 잤다. 막내가 태어나면서 6식구의 방은 늘 비좁았다.

결혼을 하면서 우리는 달랑 800만 원을 가지고 집을 얻었다. 2층 주택의 주인집 옆에 딸린 방 한 칸이었다. 문을 열고 들어가면 오른쪽에 싱크대가 있고 바로 방이 있었다. 좋게 말하면 원룸이었다. 신혼살림으로 10자 장롱이 들어가지 못할 정도의 방이었고 더운물이 안 나오는 집이었다. 출근할 때마다 더운물을 끓여야 하는 과정은 결혼 전에는 상상도 못하던 일이었다. 까칠하고 도도하기 짝이 없던 내가 싫다 소리 한 번 하지 않았던 던 그런 것을 생각하지도 못할 나이였던 것 같다. 아니 그냥 마냥 좋았던 것 같다.

그런데 지금은 그때와는 완전히 다른 삶을 살고 있는데도 불만이 존재한다. 이래서 싫고, 저래서 싫고,
방 한 칸에서도 해진 사랑을 꿰맸던 시절이 있었는데......

짧은 만남 긴 이별

하늘하늘 꽃눈 내린다고 좋아한다
내 속도 모르고

감기라도 걸릴까
겨우내 신경 곤두세우고
혹여 따스한 봄볕 못 받을까
발 동동 굴러 불러오고
딱 맞는 타이밍
기가 막힌 순간을 포착하기 위해
1분 1초 숨죽이며 기다렸건만

아스팔트 위를 분홍 꽃길로 물들이며
이렇게 쉽게 가버리다니
너를 이렇게 보내다니

<詩作노트>

벚꽃이 순식간에 떨어져 버렸다. 삼일천하라는 말이 실감 날 정도다. 학원까지 가는 해안로 길은 봄에는 벚꽃이 흐드러지게 피어 두 눈이 즐거운 곳이다. 따뜻한 봄볕이 시작될 무렵 벚꽃의 꽃봉오리들은 자줏빛을 띤다. 그때부터 남편과 나는 카운트다운을 시작한다.
"곧 필 것 같은데......"
"한 이틀 뒷면 피겠어" 그리고 날짜를 하루하루 세기 시작한다. 꽃이 하나 둘 피기 시작하면 이때부터는 언제가 절정일지 예측한다.
"이번 주말이 절정이겠는 걸"
"그래도 다음 주까지는 피어있지 않을까?"
"으음~~ 아니야, 이번 주말 지나면 떨어지겠어"
그러고는 하늘하늘 떨어지는 벚꽃 잎을 보면서
"와~ 진짜 꽃눈이네" 하면서 창문을 열면, 자동차 뒤꽁무니를 쫄래쫄래 벚꽃 잎들이 따라온다.
이제 벚꽃은 지고, 철쭉이 제 색을 내기 시작했다. 봄은 시작했다 싶으면 금세 사라진다. 봄꽃들을 보며 그동안 쌓인 스트레스를 날린다. 봄의 화사함에 마음도 환해졌다.
고마워 봄아~~

누구세요 택배 상자

무엇이 담겨있나
흔들어 봐도

무엇이 보일까
요리조리 살펴봐도

입을 꾹 다물어
아무 소리도 안 들리고
아무 것도 안 보인다

궁금하군, 궁금해!

인내심을 시험하는 중인가?

<詩作노트>

집 앞에 택배가 도착해있으며 맨 처음 보는 건 수취인의 이름이다. 이유*, 이*림은 그래도 첫째 아니면 둘째일 거라는 확신이 들면서 그녀들이 시켰을 택배는 감이 잡힌다. 문제는 이*진으로 오는 택배다. 남편도 이*진, 둘째도 이*진이기 때문이다. 둘 다 택배를 많이 시키지 않고 특히 남편은 본인이 하는 경우가 드물기는 하지만 종종 있다. 내가 주문하는 택배는 주로 책이기 때문에 그 특유의 박스가 궁금증이 전혀 없다. 그런데 딸들의 택배는 예측이 불가하다. 어느 날은 커다란 봉투에 아주 작은 것이 들어있기도 하고, 저녁에 시키면 새벽에 와 있기도 하고, 낮에 시키면 저녁에 오기도 하기 때문이다. 그렇다고 타인의 택배를 함부로 뜯을 수도 없고 궁금하기 짝이 없다. 딸들은 아주 다양한 종류의 물건을 시킨다. 한 번 오기 시작하면 시도 때도 없이 와서 나와 남편은 도대체 뭘 저렇게 시킬까 하고 속닥거리기도 한다. 그런데 때로는 남편이 자신이 주문해달라고 한 것을 잊고, 수취인의 이름만 보고 "또 뭘 시켰어?" 하고 아이들에게 물을 때가 있다. 그럼 아이들은 이때다 싶은지 "아빠가 시켜달라고 한 거잖아. 나는 이번 주에 안 시켰어"라고 자신 있게 대답한다. 뜯고 싶게 만드는 택배 상자를 보면서 이렇게 말한다. "뜯어? 말어?"

그녀는 때때로 카이로스의 시간을 여행 한다

그녀들은 각각 한방의 그 무언가를 가지고 있다 홀로 있을 땐 그 무언가가 툭툭 튀어나와 자신의 존재감을 각인 시킨다 그런 그녀들이 함께 있으면 이상하리만치 신기하게도 그 무언가가 조용하다 마치 바람과 함께 사라진 듯 전혀 어울리지 않는 조합에서 연주하는 음악은 익살스럽지만 깊이가 있다 그녀들 속에서 떠나는 하루는 태초의 그것에서부터 출발해 우주로 뻗기도 한다 지구로 자신의 삶으로 돌아오기까지 조금의 시간이 걸리지만 언제나 그랬듯이 돌아갈 시간을 잘 맞춘다 무한한 공간 저 너머를 외치는 버즈라이트이어를 찾기도 소원이 이루어지지 않는 지니가 되어주기도 하루 연주가 끝나갈 무렵에 서 있으면 그녀들의 심장은 다음 연주를 계획한다

<詩作노트>

나이 마흔이 되면 자신의 얼굴에 책임을 져야 한다는 말이 있다. 마흔 이후의 얼굴은 스스로 만드는 것이기 때문이라는 말이다. 얼굴만 말하는 것은 아닐 것이다. 그 사람의 인격이 얼굴에 드러나기 때문일 것이다.

식구들은 소소하지 않다고 말하는, 하지만 나에게는 소소한 모임들이 있다. 한 달에 한 번, 혹은 2주에 한 번이라고 말하면 몇 개의 모임들이 한 번씩이니 한 달 내내 있는 거라고 말한다. 흥, 그래도 어쩌랴. 나는 아주 소소하고 작게만 느껴지는걸. 내가 만난 모임의 그녀들은 안산, 수원, 서울 등으로 쫙 퍼져있다. 그러다 보니 접점 지점을 찾는 것도 일이요, 만나는 요일도 일이요, 시간도 일이다. 이런 고난을 극복하고 만나다 보니 오디오가 쉴 틈이 없다.

화제가 동시에 2-3개가 되기도 하고 저 먼 안드로메다를 여행하다 다시 합류하기도 한다. 그녀들과의 만남에서는 언제나 에너지가 필요하기 때문에 먹을 것이 상시 준비되어 있어야 한다. 금강산도 식후경이란 말을 가장 잘 실천하고 있는 그녀들이기 때문이다.

사계절 배달하는 인연 가게

삼월
초록바람을 타고
오월의 문 앞에 햇살과 함께 배달합니다

팔월
햇빛에 굴절되어
빗발치는 화살촉을 피해
그늘숲 사이로 숨어든 이곳에 두고 갑니다

시월
자음과 모음이 영글어
낱말 하나 낱말 둘 오소소 떨어져
쌓아 놓습니다

십이월
하얀 솜이불위로
북
서 동
남
발자국 따라 추억을
배달 완료합니다

<詩作노트>

인연(因緣) -사람들 사이에 맺어지는 관계- 은 언제 어디서든 맺어질 수 있다. 전혀 예측하지 않은 사람들과 친하게 되었다고 생각하지만 되돌아보면 한 두 번은 같은 장소에 있었다는 것을 나중에 알게 된다.

내가 속해 있는 모임들의 사람들은 언제 만난 것일까 생각해 본다. 그분들과는 어떻게 알게 되었을까도 생각해 본다. 서로 연결된 고리가 반드시 있는 것도 신기하고, 접점이 없을 것 같은데 생겨서 함께하는 경우는 소름이다. 그래서 필연인가 보다. 나와 함께해 주셔서 감사합니다. 고맙습니다.

달빛이 부르는 노래

하늬바람 꽃눈을 날리며 환호하고
수줍은 달님이 무대 위를 비추면
달빛이 둥근 몸을 말아
노래 한 곡 띄웁니다

두만강 푸른 물에 노 젓는 뱃사공
어디선가 들리는 휘파람 반주소리
아버지,
붉은 꽃가지 길섶에 앉습니다

<詩作노트>

아버지가 가장 좋아하고 즐겨 부르시던 노래는 '눈물 젖은 두만강'이었습니다. 아버지가 돌아가시고 나서 이 노래는 눈물로 젖어버렸습니다. 딸내미 피아노 반주에 이 노래 부르는 것이 꿈이었다던 아버지는 어설프게 치는 딸의 반주에 목소리를 싣습니다. 한 템포 느린 반주에 한 템포 빠른 노래는 그렇게 추억이 되었습니다. 아버지는 한 번도 못한다는 소리를 하지 않으셨습니다. 딸과 함께 한다는 그 모양새가 좋았던 모양입니다. 곰살맞은 아버지의 목소리로 느긋하게 부르는 한낮의 랩소디 같은 노래가 그립습니다. 술 한 잔 걸치시면 저 아래부터 휘파람을 불면서 집으로 오시던 아버지. 집 근처에 오시면 동네가 떠나가게 우리 삼 남매의 이름을 불러 어머니의 화를 자초하신 아버지. 두 손 가득 먹을거리를 사가지고 자고 있는 아이들을 깨우며 먹게 해서 치과를 수시로 드나들게 하신 아버지.

달 부스러기 가득한 밤에 당신의 노래 조용히 불러봅니다. '두만강 푸른 물에 노 젓는 뱃사공 흘러간 그 옛날에 내 임을 싣고 떠나간 그 배는 어디로 갔소'

텃밭을 그리는 화가

우리 집 옥상은 여름마다 모네의 정원
화구들을 하나 가득 손에 들고 올라가
분주히 초록빛으로 덧칠하는 세심한 손

머위대 엄나무순 청경채 오가피순
땀방울로 혼합하고 흙냄새로 채색하면
연노란 선인장 꽃도 나비를 물들인다

바람이 지나가다 자장가 불러주고
빗방울 쉬엄쉬엄 목마름 달래주면
어느새 영글어 가는 엄마의 그림들

<詩作노트>

남편은 장모님을 위해 옥상에 커다란 텃밭을 마련해 주었다. 농사일이라고는 제대로 해 본 적도 없는 엄마는 집에 있는 화분마다 오이며 고추며 알로에를 키우면서 벌레도 함께 키웠다. 식물을 가져오기만 하면 죽이는 나에 비해 그 죽어가는 식물들도 살려내는 화타의 손이 따로 없었다. 정성스레 키우면 식물도 그 은혜를 아는지 무럭무럭 아주 잘 자랐다. 그래서 엄마는 식물들에게 말을 건다. 사람보다 낫다는 말과 함께 말이다.

2000년 여름. 이사 오면서 옥상에 방수처리와 함께 엄마의 터전이 마련되었다. 커다란 텃밭을 만들어 준 것이다. 그때부터 엄마는 미다스의 손이 되었다. 손대는 것마다 식물이 열매를 맺기 시작한 것이다. 엄마는 새벽이면 옥상에 올라가 줄기가 잘 타고 올라가게 줄을 만들고, 목마르지 않게 물을 대고, 잡초를 뽑고 퇴비도 주면서 정성스레 가꾸셨다. 물론, 여전히 벌레들의 출몰과 함께 말이다. 우리는 그곳에 천막을 치고, 고기를 구워 먹으며 텃밭에서 상추며 고추를 따서 바로 먹기도 하는 즐거움을 나누기도 했다.

아파트로 이사 오면서 사라지나 했더니 화가의 끼는 감출 수가 없는 모양이다. 아이스크림 상자가 화분이 되더니, 오이가 자라고, 파가 자라기 시작한다.